OSCAR ET LA DAME ROSE

Éric-Emmanuel Schmitt

Fiche de lecture

Rédigée par Laure De Caevel (Université libre de Bruxelles)

lePetitLittéraire.fr

Retrouvez tout notre catalogue sur www.lePetitLitteraire.fr
Avec lePetitLittéraire.fr, simplifiez-vous la lecture !

4, rue Henri Lemaitre | 5000 Namur
www.primento.com
ISBN 978-2-8062-2756-0
Dépôt légal : D/2011/12.603/395

SOMMAIRE

OSCAR ET LA DAME ROSE

ÉRIC-EMMANUEL SCHMITT

Éric-Emmanuel Schmitt, né en 1960 et agrégé de philosophie, est l'un des auteurs français les plus lus dans le monde. Il vit à Bruxelles et a débuté sa carrière d'écrivain au théâtre avec *Le Visiteur*, pièce dans laquelle Freud reçoit la visite d'un homme énigmatique qui prétend être Dieu lui-même. En continuant à écrire pour le théâtre, Schmitt compose aussi des romans (*La part de l'autre*), des nouvelles (*Odette Toulemonde et autres histoires*) et même une autobiographie (*Ma vie avec Mozart*). Récemment, il s'est mis derrière la caméra et a adapté au cinéma deux de ses œuvres dont *Oscar et la dame rose*.

- **Né en France en 1960**
- **Écrivain français**
- **Quelques-unes de ses œuvres :**

La Secte des égoïstes (1994), roman
Oscar et la dame rose (2002), roman
Ma vie avec Mozart (2005), roman

Un récit plein d'émotion

Oscar et la dame rose, publié en 2002, fait partie du « Cycle de l'invisible », une série de romans où l'écrivain met en scène des enfants confrontés aux croyances. À travers des conversations entre un personnage plus âgé et un enfant, Schmitt montre comment la spiritualité peut aider quelqu'un à vivre pleinement.

Ce roman nous présente Oscar, leucémique de 10 ans, à travers les lettres qu'il adresse à Dieu. Il a commencé à les écrire sur les conseils de Mamie-Rose, une vieille femme visiteuse d'hôpital avec laquelle il se noue d'amitié.

En plus de traiter de la spiritualité, Schmitt arrive à aborder avec brio le sujet difficile des enfants hospitalisés sans tomber dans le mélo-dramatique.

1. RÉSUMÉ

Lettre 1

Oscar explique sa rencontre avec Mamie-Rose et sa vie à l'hôpital. Quelque chose a changé depuis son opération : tout le monde autour de lui a l'air faux. Sauf Mamie-Rose, ancienne catcheuse qu'on surnommait l'Étrangleuse du Languedoc, la seule à être honnête et à lui avoir fait comprendre que sa greffe de moelle osseuse n'avait pas réussi. **Elle lui suggère d'écrire des lettres à Dieu** pour se sentir moins seul et tout raconter sans retenue à quelqu'un, et lui propose également de **faire un vœu par jour**. Son premier vœu est d'avoir une réponse à la question « Vais-je guérir ? ».

Lettre 2

La réponse ne tarde pas. Ses parents, qui ne viennent habituellement lui rendre visite que le dimanche, sont à l'hôpital et on n'est pas dimanche. En écoutant aux portes, **Oscar entend le docteur Düsseldorf dire à ses parents qu'il n'y a plus rien à faire**. Les parents, effondrés, partent sans oser voir Oscar qui, sans le faire exprès, s'enferme dans un placard à balais. Quand on le retrouve, il ne veut plus parler qu'à **Mamie-Rose**. Il lui raconte ce qu'il a vu et elle lui redit d'écrire à Dieu. Elle propose également à Oscar de **vivre chaque jour comme s'il valait 10 ans**, pour avoir quand même vécu une vie entière. En cette fin de journée, Oscar a donc 10 ans.

Lettre 3

L'adolescence. Oscar **est amoureux de Peggy Blue** (appelée ainsi à cause de sa peau bleue : elle a une maladie qui empêche le sang d'aller jusqu'aux poumons, qui ne sont donc pas oxygéné, ce qui provoque la coloration bleutée de la peau). Mamie-Rose le pousse à aller dire à Peggy qu'il la protègera des fantômes durant la nuit. Toutefois, Pop Corn affirme que Peggy veut que ce soit lui qui la protège. Alors qu'Oscar repart bredouille, il croise **Sandrine, surnommée la Chinoise** (parce qu'elle est leucémique et a une perruque noire et lisse). Celle-ci **embrasse Oscar** qui trouve ça dégoutant.

Ensuite, **les parents d'Oscar débarquent**. Aujourd'hui, le cadeau qu'ils lui offrent est vraiment chouette : **le CD de Casse-noisettes**. Ils ne lui avouent pas qu'ils sont venus la veille, alors il se tait et se plonge dans la musique. Il est un peu surpris quand, au moment de se dire au revoir, sa mère tombe dans ses bras, mais il ne s'en émeut pas plus.

Mamie-Rose arrive et **le renvoie auprès de Peggy pour qu'il lui dise ce qu'il ressent**. Et il a raison car Peggy veut que ce soit lui, et non Pop Corn, qui la protège des fantômes. **Oscar souhaite se marier avec Peggy**, c'est son vœu du jour.

Lettre 4

La nuit précédente, Oscar l'a passée avec Peggy ; **ils se sont mariés**. Oscar a entendu des cris et s'est précipité au secours sa bien-aimée. Là, il s'est rendu compte que c'était Bacon qui hurlait. Bacon, qu'on appelle comme ça parce que c'est un grand brulé, souffrait malgré les crèmes et les greffes. Oscar croyait que c'était Peggy qui criait, Peggy que c'était Oscar. Alors, elle lui a demandé de passer la nuit avec elle, ce qu'il a accepté. Le lendemain, les infirmières ne rigolaient pas... mais Mamie-Rose a calmé le jeu.

Ce jour-là, elle a emmené Oscar **dans la chapelle de l'hôpital**. Il a été surpris en voyant la statue du Christ avec sa couronne d'épines et les clous enfoncés dans ses membres. Révolté, il affirme que s'il avait été Dieu, il aurait évité de souffrir. **Mamie-Rose lui explique qu'il y a deux sortes de souffrances** : la première, **physique**, qu'on subit, la seconde, **morale**, qu'on choisit.

Pour son quatrième souhait, Oscar demande que, quel que soit le résultat de l'opération de Peggy, elle le prenne bien.

Lettre 5

Peggy est opérée. Oscar est tendu et s'énerve sur leurs maladies, à eux, les enfants. Mamie-Rose lui répond que ceux qui ne sont pas malades ont aussi des problèmes, des coups de blues, des moments difficiles. Alors Oscar lui propose de l'adopter, comme il l'a déjà fait avec son vieil ours en peluche le jour où ses parents lui en ont offert un nouveau.

L'opération de Peggy s'est bien passée. Ses parents disent à Oscar qu'ils comptent sur lui pour la protéger.

Lettre 6

Crise de la quarantaine. Pop Corn a raconté à Peggy qu'Oscar avait embrassé la Chinoise. Même si c'était avant elle, **Peggy est triste et met fin à leur relation**. Oscar, sous le choc, laisse Brigitte la trisomique l'embrasser partout. Mamie-Rose lui conseille, pour effacer ses bêtises, d'avouer à Peggy ce qu'il ressent.

Lettre 7

Le matin, **Oscar a dit à Peggy qu'il n'aimait qu'elle**. Elle lui a donc pardonné ses écarts. Puis Oscar s'est rendu compte que c'était **Noël** et a pensé qu'il allait encore passer une journée nulle avec ses parents. **Il a donc organisé sa fugue** : ses amis l'ont porté jusque **dans le coffre de la voiture de Mamie-Rose pour qu'il passe Noël avec elle**.

Plus tard, Mamie-Rose le retrouvé sur le pas de sa porte, étonnée. Elle lui explique que **ses parents** ont très peur à cause de sa disparition. Oscar lui rétorque qu'il a l'impression d'être un monstre à leurs yeux. Mamie-Rose lui fait comprendre qu'ils **ont peur de la maladie, pas de lui**, qu'eux aussi vont mourir un jour et qu'ils seront rongés par le remord de ne pas s'être réconciliés avec leur fils. Oscar accepte finalement que **ses parents viennent passer Noël avec lui chez Mamie-Rose**. Ils regardent un match de catch et passent un **super Noël**.

Lettre 8

Oscar est fatigué, il a plus de 60 ans. Il a passé la journée à écouter *Casse-noisettes* et voudrait bien que Dieu lui rende encore visite.

Lettre 9

70 à 80 ans, l'heure des réflexions. Pour commencer la journée, Oscar a donné vie à sa plante du Sahara, cadeau de Noël de Mamie-Rose : toute sa vie se déroule sur un seul jour.

Avec Peggy, il a lu le *Dictionnaire médical* et a été surpris de ne rien trouver aux mots Vie, Mort, Foi et Dieu alors que pour lui, c'est ce qu'il y a de plus important. Mamie-Rose lui explique qu'ils n'y sont pas parce qu'ils n'ont pas d'explication fixée et définitive.

À la fin de la journée, le docteur Düsseldorf est passé dans sa chambre avec un air abattu. Oscar lui a dit qu'il ne devait pas se sentir coupable d'annoncer de mauvaises nouvelles aux gens, que ce n'était pas de sa faute, ce qui a revigoré le médecin.

Lettre 10

Peggy est rentrée chez elle. **Oscar est triste** et en veut à Dieu.

Lettre 11

Dieu est passé rendre visite à Oscar, il l'a vu dans le soleil qui se levait. Il lui a fait comprendre qu'il devait tout regarder comme si c'était la première fois, que c'était ça le pur bonheur. Son souhait d'aujourd'hui ? Que ses parents et Peggy puissent ressentir la même chose.

Lettre 12

Oscar a **100 ans** et devient **philosophe**. Il explique à Dieu qu'on pense que la vie est un cadeau. D'abord, on la croit inusable, puis on la trouve trop friable et, enfin, on se rend compte qu'elle n'était qu'un prêt, qu'il va falloir la rendre et montrer qu'on la mérite.

Lettre 13

Oscar fatigue de plus en plus. C'est sa **dernière lettre**.

Lettre 14

Elle est signée Mamie-Rose et annonce à Dieu le **décès d'Oscar**. Elle est très triste et lui parle de tout ce que ce garçon lui a permis de vivre et de ressentir. Dans un P.S., elle confie que ces derniers jours, Oscar avait mis un écriteau sur sa porte : « Seul Dieu a le droit de me réveiller » (p. 81).

2. ÉTUDE DES PERSONNAGES

Oscar

Oscar n'a **pas la vie d'un garçon ordinaire de dix ans**. Sa maladie l'oblige à **habiter à l'hôpital**, où il ne côtoie que d'autres enfants malades et où il ne voit ses parents qu'un jour par semaine. **Cette situation difficile l'a fait murir vite**, même s'il garde des côtés enfantins, notamment une certaine naïveté.

Sa **sensibilité** se traduit à travers ses sentiments pour Peggy Blue. C'est un garçon **très attachant** et qui, parfois, lance des **tirades pleines de vérités**, par exemple lorsqu'il dit au docteur Düsseldorf de lever le pied et de se reposer un peu (p.73). Il a **besoin d'affection**, mais ses parents, trop effrayés par sa leucémie, sont incapables de lui donner celle qu'il désire. Alors, il va la chercher auprès de Mamie-Rose. En effet, il voudrait une relation basée sur la confiance et les confidences, or telle n'est pas sa relation avec ses parents.

Mamie-Rose

Vieille femme visiteuse d'hôpital, elle se présente à Oscar comme une **ex-catcheuse** pour justifier son vocabulaire parfois peu relevé. Elle est **très honnête** et n'hésite pas à **dire ce qu'elle pense**, que ce soit aux infirmières pour les sermonner ou à Oscar quand elle lui parle de Dieu. Elle s'invente des tournois de catchs et des adversaires pour expliquer à ce petit garçon comment elle conçoit la vie. Le but de Mamie-Rose est de **faire accepter la mort à Oscar** et qu'il la supporte de la manière la plus douce possible. Comme elle est plus âgée et a plus d'expérience, elle parait plus crédible aux yeux d'Oscar. Pour le convaincre, elle utilise à la fois des **procédés didactiques** et ce qu'on appelle la **dialectique**, qui est une méthode de raisonnement qui fonctionne par questions/réponses.

Les parents d'Oscar

Oscar les perçoit comme lâches parce qu'ils n'arrivent pas à affronter sa maladie. Il a l'impression qu'ils le considèrent comme un monstre depuis sa greffe de moelle osseuse ratée. Ils lui semblent incapables en termes de relations humaines. En fait, ils sont **simplement perdus**, ils ne **savent pas comment s'y prendre**, comment parler à leur fils de dix ans du fait qu'il ne lui reste plus que quelques jours à vivre.

Les choses se débloquent à Noël, quand ils comprennent qu'Oscar est conscient de la mort et a apprivoisé l'idée qu'il allait bientôt partir. Là, ils redeviennent les **parents agréables** qu'ils étaient avant le début de la leucémie.

Les enfants hospitalisés

Au fond, ils ne sont **pas vraiment différents des autres enfants**, même si, en général, **ils grandissent plus vite** car ils sont confrontés à des réalités qu'habituellement on évite de présenter aux enfants. Dans *Oscar et la dame rose*, ils ont tous une particularité et un surnom : Pop Corn pèse 98 kg à 9 ans, Einstein a un crâne hors normes rempli d'eau, Bacon est un grand brulé et Peggy Blue (dont le nom renvoie à Peggy Sue) a la peau bleutée car son sang n'est pas bien oxygéné.

3. CLÉS DE LECTURE

Dieu comme confident

Dans *Oscar et la dame rose*, **Dieu** est présenté plus comme **un soulagement, un confident** pour Oscar que comme une force toute-puissante. De fait, Oscar ne guérira pas, Dieu ne le sauvera pas. Mamie-Rose montre que le Dieu catholique est **un Dieu qui souffre** (p. 50) et est donc plus proche des gens qu'un Dieu intouchable.

Elle n'oblige absolument pas **Oscar** à croire mais elle lui présente ce en quoi elle a foi. D'ailleurs, au début du récit, celui-ci se présente comme **agnostique**, c'est-à-dire qu'il doute de l'existence de Dieu (ce point de vue est un peu paradoxal car il lui écrit). Oscar a l'impression que ce n'est qu'une autre **invention des adultes**, comme le Père Noël. Au fur et à mesure que l'histoire avance, il se sent **de plus en plus proche de Dieu** et finit même par le considérer comme **un ami** qui lui révèle de temps en temps qu'il faut profiter de ce qu'on a et lui transmet quelques vérités.

La relation des enfants avec la maladie

La **maladie d'Oscar** l'oblige à vivre dans un hôpital. Schmitt nous présente ce thème de façon douce et simple, mais cela n'empêche pas le lecteur de prendre conscience de la chance qu'ont les enfants en bonne santé : ils ne doivent pas combattre les fantômes – jolie métaphore représentant la douleur – et ont une vie de famille.

La relation des enfants hospitalisés avec la mort les fait **murir plus vite.** Ils ont tout aussi peur d'elle que tous les autres, mais, comme ils vivent avec elle au quotidien, ils l'apprivoisent.

Qui dit maladie et mort dit également **souffrance**. Oscar aborde très peu ses maux dans ses lettres, tout au plus il parle du fait qu'il se sent fort fatigué et qu'il dort beaucoup. Pourtant, la souffrance est bien réelle et il faut également vivre avec. Mamie-Rose, lorsqu'elle se rend avec Oscar dans la chapelle de l'hôpital (p. 50), lui explique la distinction qu'elle fait entre la souffrance physique, qu'on subit, et la souffrance morale, qu'on choisit. Schmitt affirme par là que si on passe au-dessus des difficultés et qu'on fait le choix du bonheur, on n'aura pas à affronter de souffrance morale.

Un style oral et théâtral

D'une part, dans son roman, l'auteur use d'un **langage familier**, ce qui parait logique puisque l'œuvre est composée de lettres écrites par un garçon de dix ans. Oscar tutoie Dieu et utilise des tournures et des **expressions orales** : « Faut vraiment que je sois obligé » (p. 11) sans le « il » impersonnel ; « On m'a déjà fait le coup » (p. 11), il y a beaucoup de mises en évidence à l'aide de « C'est ... que/qui » ; il utilise des abréviations comme « toubibs », « chimio », etc.

Ce registre familier crée un **effet comique**. Ainsi, l'histoire d'un enfant hospitalisé, grave, est traitée sur le ton de l'humour. Notons également que les surnoms des enfants sont également comiques (Pop Corn, Bacon) et qu'on trouve aussi un comique de caractère, notamment dans le personnage de Mamie-Rose.

D'autre part, ce roman fait penser à une **pièce de théâtre** :

- **le découpage en lettres** évoque le découpage en scènes et en actes. De plus, comme les scènes des pièces de théâtre, les missives débutent et se terminent par l'entrée ou la sortie d'un personnage. Par exemple, la deuxième lettre s'ouvre sur l'arrivée de Pop Corn (p. 21) et la douzième se clôt sur le salut d'Oscar (p. 79) ;
- il y a **des rebondissements** dans l'histoire de même que **des effets dramatiques** et **des coups de théâtre**, notamment avec la fuite totalement inattendue d'Oscar chez Mamie-Rose le jour de Noël ou la « visite » de Dieu à la fin du récit ;
- **les dialogues sont nombreux** et construits sous forme de stichomythies (enchainement de répliques courtes) suivies de tirades, c'est-à-dire de longues répliques permettant, au théâtre, de développer le caractère d'un des personnages ;
- **le récit respecte plus ou moins la règle des trois unités** propre au théâtre classique :
    - unité de temps : le roman se déroule en 12 jours, espace temporel court, même s'il est plus conséquent que l'unité de temps classique (au XVIIe, l'action des pièces de théâtre devait se dérouler sur 24h) ;
    - unité d'action : les derniers jours de la vie d'Oscar représentent l'action principale ;
    - unité de lieu : l'essentiel de l'histoire se passe dans l'hôpital.

La philosophie épicurienne

Ce roman peut aussi être considéré comme un **conte philosophique** : le personnage principal traverse toutes sortes d'épreuves qui le font grandir et amène des questionnements philosophiques, et l'histoire se clôt sur une morale : il s'agit de vivre chaque jour comme si c'était le premier.

On peut relier cette morale à **la philosophie épicurienne** qui invite chacun à **profiter du moment présent**. Oscar considère d'ailleurs que c'est le « secret de Dieu pour être infatigable et heureux » (p. 76). Ainsi, le roman peut être perçu comme une ode au *Carpe Diem* (citation latine qui signifie « cueille le jour », c'est-à-dire, profite de l'instant présent) par le jeu entre Oscar et Mamie-Rose où une journée vaut dix ans : par ce jeu, elle le pousse à profiter à fond de ses journées plutôt que de se lamenter sur le fait qu'il n'en reste pas beaucoup.

En outre, dans la philosophie épicurienne, on n'a **pas peur de la mort** car elle n'est que la dislocation des atomes formant notre corps, ce qui correspond à l'état où l'on était avant de naitre. Il n'y a donc aucune souffrance dans la mort. Mamie-Rose transmet cette idée à Oscar en lui expliquant qu'il ne faut pas qu'il ait peur de l'inconnu.

4. INFORMATIONS COMPLÉMENTAIRES

Édition de référence

- Éric-Emmanuel Schmitt, *Oscar et la dame rose*, Paris, Magnard (Coll. « Classiques & Contemporains »), 2002.

Étude de référence

- www.eric-emmanuel-schmitt.com

Adaptation cinématographique

- *Oscar et la dame rose* (2009), avec Michèle Laroque.

Adaptation théâtrale

- *Oscar et la dame rose*, en Belgique avec Jacqueline Bir et en France avec Danielle Darrieux.

Frank, *Le Journal d'Anne Frank*
Gary, *La Promesse de l'aube*
Gary, *La Vie devant soi*
Gary, *Les Cerfs-volants*
Gary, *Les Racines du ciel*
Gaudé, *Eldorado*
Gaudé, *La Mort du roi Tsongor*
Gaudé, *Le Soleil des Scorta*
Gautier, *La morte amoureuse*
Gautier, *Le capitaine Fracasse*
Gautier, *Le chevalier double*
Gautier, *Le pied de momie et autres contes*
Gavalda, *35 kilos d'espoir*
Gavalda, *Ensemble c'est tout*
Genet, *Journal d'un voleur*
Gide, *La Symphonie pastorale*
Gide, *Les Caves du Vatican*
Gide, *Les Faux-Monnayeurs*
Giono, *Le Chant du monde*
Giono, *Le Grand Troupeau*
Giono, *Le Hussard sur le toit*
Giono, *L'homme qui plantait des arbres*
Giono, *Les Âmes fortes*
Giono, *Un roi sans divertissement*
Giordano, *La solitude des nombres premiers*
Giraudoux, *Electre*
Giraudoux, *La guerre de Troie n'aura pas lieu*
Gogol, *Le Manteau*
Gogol, *Le Nez*
Golding, *Sa Majesté des Mouches*
Grimbert, *Un secret*
Grimm, *Contes*
Gripari, *Le Bourricot*
Guilleragues, *Lettres de la religieuse portugaise*
Gunzig, *Mort d'un parfait bilingue*
Harper Lee, *Ne tirez pas sur l'oiseau moqueur*
Hemingway, *Le Vieil Homme et la Mer*
Hessel, *Engagez-vous!*
Hessel, *Indignez-vous!*
Higgins, *Harold et Maud*
Higgins Clark, *La nuit du renard*
Homère, *L'Iliade*
Homère, *L'Odyssée*
Horowitz, *La Photo qui tue*
Horowitz, *L'Île du crâne*
Hosseini, *Les Cerfs-volants de Kaboul*
Houellebecq, *La Carte et le Territoire*
Hugo, *Claude Gueux*
Hugo, *Hernani*
Hugo, *Le Dernier Jour d'un condamné*
Hugo, *L'Homme qui Rit*
Hugo, *Notre-Dame de Paris*
Hugo, *Quatrevingt-Treize*
Hugo, *Les Misérables*
Hugo, *Ruy Blas*
Huston, *Lignes de faille*
Huxley, *Le meilleur des mondes*
Huysmans, *À rebours*
Huysmans, *Là-Bas*
Ionesco, *La cantatrice Chauve*
Ionesco, *La leçon*
Ionesco, *Le Roi se meurt*
Ionesco, *Rhinocéros*
Istrati, *Mes départs*
Jaccottet, *A la lumière d'hiver*
Japrisot, *Un long dimanche de fiançailles*
Jary, *Ubu Roi*
Joffo, *Un sac de billes*
Jonquet, *La vie de ma mère!*
Juliet, *Lambeaux*
Kadaré, *Qui a ramené Doruntine?*
Kafka, *La Métamorphose*
Kafka, *Le Château*
Kafka, *Le Procès*
Kafka, *Lettre au père*
Kerouac, *Sur la route*
Kessel, *Le Lion*
Khadra, *L'Attentat*
Koenig, *Nitocris, reine d'Egypte*
La Bruyère, *Les Caractères*
La Fayette, *La Princesse de Clèves*
La Fontaine, *Fables*
La Rochefoucauld, *Maximes*
Läckberg, *La Princesse des glaces*
Läckberg, *L'oiseau de mauvais augure*
Laclos, *Les Liaisons dangereuses*
Lamarche, *Le jour du chien*
Lampedusa, *Le Guépard*
Larsson, *Millenium I. Les hommes qui n'aimaient pas les femmes*
Laye, *L'enfant noir*
Le Clézio, *Désert*
Le Clézio, *Mondo*
Leblanc, *L'Aiguille creuse*
Leiris, *L'Âge d'homme*
Lemonnier, *Un mâle*
Leprince de Beaumont, *La Belle et la Bête*
Leroux, *Le Mystère de la Chambre Jaune*
Levi, *Si c'est un homme*
Levy, *Et si c'était vrai...*
Levy, *Les enfants de la liberté*
Levy, *L'étrange voyage de Monsieur* Daldry
Lewis, *Le Moine*
Lindgren, *Fifi Brindacier*
Littell, *Les Bienveillantes*
London, *Croc-Blanc*
London, *L'Appel de la forêt*
Maalouf, *Léon l'africain*
Maalouf, *Les échelles du levant*
Machiavel, *Le Prince*
Madame de Staël, *Corinne ou l'Italie*
Maeterlinck, *Pelléas et Mélisande*
Malraux, *La Condition humaine*
Malraux, *L'Espoir*
Mankell, *Les chaussures italiennes*
Marivaux, *Les Acteurs de bonne foi*
Marivaux, *L'île des esclaves*
Marivaux, *La Dispute*
Marivaux, *La Double Inconstance*
Marivaux, *La Fausse Suivante*
Marivaux, *Le Jeu de l'amour et du hasard*
Marivaux, *Les Fausses Confidences*
Maupassant, *Boule de Suif*
Maupassant, *La maison Tellier*
Maupassant, *La morte et autres nouvelles fantastiques*
Maupassant, *La parure*
Maupassant, *La peur et autres contes fantastiques*
Maupassant, *Le Horla*
Maupassant, *Mademoiselle Perle et autres nouvelles*
Maupassant, *Toine et autres contes*
Maupassant, *Bel-Ami*
Maupassant, *Le papa de Simon*
Maupassant, *Pierre et Jean*
Maupassant, *Une vie*
Mauriac, *Le Mystère Frontenac*
Mauriac, *Le Noeud de vipères*
Mauriac, *Le Sagouin*
Mauriac, *Thérèse Desqueyroux*
Mazetti, *Le mec de la tombe d'à côté*
McCarthy, *La Route*
Mérimée, *Colomba*
Mérimée, *La Vénus d'Ille*
Mérimée, *Carmen*
Mérimée, *Les Âmes du purgatoire*
Mérimée, *Matéo Falcone*
Mérimée, *Tamango*
Merle, *La mort est mon métier*
Michaux, *Ecuador et un barbare en Asie*
Mille et une Nuits
Mishima, *Le pavillon d'or*
Modiano, *Lacombe Lucien*
Molière, *Amphitryon*
Molière, *L'Avare*
Molière, *Le Bourgeois gentilhomme*
Molière, *Le Malade imaginaire*
Molière, *Le Médecin volant*
Molière, *L'Ecole des femmes*
Molière, *Les Précieuses ridicules*
Molière, *L'Impromptu de Versailles*
Molière, *Dom Juan*
Molière, *Georges Dandin*
Molière, *Le Misanthrope*
Molière, *Le Tartuffe*
Molière, *Les Femmes savantes*
Molière, *Les Fourberies de Scapin*
Montaigne, *Essais*
Montesquieu, *L'Esprit des lois*
Montesquieu, *Lettres persanes*
More, *L'Utopie*
Morpurgo, *Le Roi Arthur*
Musset, *Confession d'un enfant du siècle*
Musset, *Fantasio*
Musset, *Il ne faut juger de rien*
Musset, *Les Caprices de Marianne*
Musset, *Lorenzaccio*
Musset, *On ne badine pas avec l'amour*
Musso, *La fille de papier*
Musso, *Que serais-je sans toi?*
Nabokov, *Lolita*
Ndiaye, *Trois femmes puissantes*
Nemirovsky, *Le Bal*
Nemirovsky, *Suite française*
Nerval, *Sylvie*
Nimier, *Les inséparables*
Nothomb, *Hygiène de l'assassin*
Nothomb, *Stupeur et tremblements*
Nothomb, *Une forme de vie*
N'Sondé, *Le coeur des enfants léopards*
Obaldia, *Innocentines*
Onfray, *Le corps de mon père, autobiographie de ma mère*
Orwell, *1984*
Orwell, *La Ferme des animaux*
Ovaldé, *Ce que je sais de Vera Candida*
Ovide, *Métamorphoses*
Oz, *Soudain dans la forêt profonde*

Pagnol, *Le château de ma mère*
Pagnol, *La gloire de mon père*
Pancol, *La valse lente des tortues*
Pancol, *Les écureuils de Central Park sont tristes le lundi*
Pancol, *Les yeux jaunes des crocodiles*
Pascal, *Pensées*
Péju, *La petite chartreuse*
Pennac, *Cabot-Caboche*
Pennac, *Au bonheur des ogres*
Pennac, *Chagrin d'école*
Pennac, *Kamo*
Pennac, *La fée carabine*
Perec, *W ou le souvenir d'Enfance*
Pergaud, *La guerre des boutons*
Perrault, *Contes*
Petit, *Fils de guerre*
Poe, *Double Assassinat dans la rue Morgue*
Poe, *La Chute de la maison Usher*
Poe, *La Lettre volée*
Poe, *Le chat noir et autres contes*
Poe, *Le scarabée d'or*
Poe, *Manuscrit trouvé dans une bouteille*
Polo, *Le Livre des merveilles*
Prévost, *Manon Lescaut*
Proust, *Du côté de chez Swann*
Proust, *Le Temps retrouvé*
Queffélec, *Les Noces barbares*
Queneau, *Les Fleurs bleues*
Queneau, *Pierrot mon ami*
Queneau, *Zazie dans le métro*
Quignard, *Tous les matins du monde*
Quint, *Effroyables jardins*
Rabelais, *Gargantua*
Rabelais, *Pantagruel*
Racine, *Andromaque*
Racine, *Bajazet*
Racine, *Bérénice*
Racine, *Britannicus*
Racine, *Iphigénie*
Racine, *Phèdre*
Radiguet, *Le diable au corps*
Rahimi, *Syngué sabour*
Ray, *Malpertuis*
Remarque, *A l'Ouest, rien de nouveau*
Renard, *Poil de carotte*
Reza, *Art*
Richter, *Mon ami Frédéric*
Rilke, *Lettres à un jeune poète*
Rodenbach, *Bruges-la-Morte*
Romains, *Knock*
Roman de Renart
Rostand, *Cyrano de Bergerac*
Rotrou, *Le Véritable Saint Genest*
Rousseau, *Du Contrat social*
Rousseau, *Emile ou de l'Education*
Rousseau, *Les Confessions*
Rousseau, *Les Rêveries du promeneur solitaire*
Rowling, *Harry Potter–La saga*
Rowling, *Harry Potter à l'école des sorciers*
Rowling, *Harry Potter et la Chambre des Secrets*
Rowling, *Harry Potter et la coupe de feu*
Rowling, *Harry Potter et le prisonnier d'Azkaban*
Rufin, *Rouge brésil*
Saint-Exupéry, *Le Petit Prince*
Saint-Exupéry, *Vol de nuit*
Saint-Simon, *Mémoires*
Salinger, *L'attrape-coeurs*
Sand, *Indiana*
Sand, *La Mare au diable*
Sarraute, *Enfance*
Sarraute, *Les Fruits d'Or*
Sartre, *La Nausée*
Sartre, *Les mains sales*
Sartre, *Les mouches*
Sartre, *Huis clos*
Sartre, *Les Mots*
Sartre, *L'existentialisme est un humanisme*
Sartre, *Qu'est-ce que la littérature?*
Schéhérazade et Aladin
Schlink, *Le Liseur*
Schmitt, *Odette Toutlemonde*
Schmitt, *Oscar et la dame rose*
Schmitt, *La Part de l'autre*
Schmitt, *Monsieur Ibrahim et les fleurs du Coran*
Semprun, *Le mort qu'il faut*
Semprun, *L'Ecriture ou la vie*
Sépulvéda, *Le Vieux qui lisait des romans d'amour*
Shaffer et Barrows, *Le Cercle littéraire des amateurs d'épluchures de patates*
Shakespeare, *Hamlet*
Shakespeare, *Le Songe d'une nuit d'été*
Shakespeare, *Macbeth*
Shakespeare, *Romeo et Juliette*
Shan Sa, *La Joueuse de go*
Shelley, *Frankenstein*
Simenon, *Le bourgmestre de Fume*
Simenon, *Le chien jaune*
Sinbad le marin
Sophocle, *Antigone*
Sophocle, *Œdipe Roi*
Steeman, *L'Assassin habite au 21*
Steinbeck, *La perle*
Steinbeck, *Les raisins de la colère*
Steinbeck, *Des souris et des hommes*
Stendhal, *Les Cenci*
Stendhal, *Vanina Vanini*
Stendhal, *La Chartreuse de Parme*
Stendhal, *Le Rouge et le Noir*
Stevenson, *L'Etrange cas du Docteur Jekyll et de M. Hyde*
Stevenson, *L'Île au trésor*
Süskind, *Le Parfum*
Szpilman , *Le Pianiste*
Taylor, *Inconnu à cette adresse*
Tirtiaux, *Le passeur de lumière*
Tolstoï, *Anna Karénine*
Tolstoï, *La Guerre et la paix*
Tournier, *Vendredi ou la vie sauvage*
Tournier, *Vendredi ou les limbes du pacifique*
Toussaint, *Fuir*
Tristan et Iseult
Troyat, *Aliocha*
Uhlman, *L'Ami retrouvé*
Ungerer, *Otto*
Vallès, *L'Enfant*
Vargas, *Dans les bois éternels*
Vargas, *Pars vite et reviens tard*
Vargas, *Un lieu incertain*
Verne, *Deux ans de vacances*
Verne, *Le Château des Carpathes*
Verne, *Le Tour du monde en 80 jours*
Verne, *Madame Zacharius, Aventures de la famille Raton*
Verne, *Michel Strogoff*
Verne, *Un hivernage dans les glaces*
Verne, *Voyage au centre de la terre*
Vian, *L'écume des jours*
Vigny, *Chatterton*
Virgile, *L'Enéide*
Voltaire, *Jeannot et Colin*
Voltaire, *Le monde comme il va*
Voltaire, *L'Ingénu*
Voltaire, *Zadig*
Voltaire, *Candide*
Voltaire, *Micromégas*
Wells, *La guerre des mondes*
Werber, *Les Fourmis*
Wilde, *Le Fantôme de Canterville*
Wilde, *Le Portrait de Dorian Gray*
Woolf, *Mrs Dalloway*
Yourcenar, *Comment Wang-Fô fut sauvé*
Yourcenar, *Mémoires d'Hadrien*
Zafón, *L'Ombre du vent*
Zola, *Au Bonheur des Dames*
Zola, *Germinal*
Zola, *Jacques Damour*
Zola, *La Bête Humaine*
Zola, *La Fortune des Rougon*
Zola, *La mort d'Olivier Bécaille et autres nouvelles*
Zola, *L'attaque du moulin et autre nouvelles*
Zola, *Madame Sourdis et autres nouvelles*
Zola, *Nana*
Zola, *Thérèse Raquin*
Zola, *La Curée*
Zola, *L'Assommoir*
Zweig, *La Confusion des sentiments*
Zweig, *Le Joueur d'échecs*

NOTES

Printed in Germany
by Amazon Distribution
GmbH, Leipzig